KB171889

하린의 소원

하린의 소원

유소은 지음

차례

1장
잃어버린 일상

절대 잊어버릴 수 없다. 그 순간 이후로 내 생활이 완전히 바뀌었다. 이전에는 학교도 갔고, 학원도 갔고, 친구들과 맛있는 것도 먹으며 나도 평범하게 졸업하겠다 하며 지내는 13살이었다.

남동생 2명도 학교를 다니면서 사고도 치고, 가끔 친구 괴롭히고, 학원에 안 가고 싶다고 떼도 쓰고, 아무쪼록 그랬다. 이런 동생들과 나를 견뎌내고 우리를 키우시는 엄마는 항상 우리보다 일찍 일어나셔서 우리를 깨우고 아침을 준비하면서 잔소리를 하셨다. 그러면서도 뭐든 뒤에서 챙겨주시는 것 때문인지 엄마가 없을 때도 새록새록 고마운 마음이 들었다. 우리 아빠는 사업을 하신다. 모르지만 고문인가? 그걸 한다고 한다. 나는 아빠가 우리의 생활을 만들어 주는 것에는 감사하다. 하지만 나랑 내 동생들이 학교 준비를 할 시간에 자기도 출근해야 한다면서 샤워를 한다고 화장실을 다 차지했을 때가 있었다. 그때마다 나는 세수와 양치를 하는데 늦어져서 짜증이 났다. 그래도 나는 아빠를 무척 아낀다.

어찌저찌 학교에 가면, 항상 나는 늦게 도착하는 편이었다. 그래도 선생님은 나를 혼내시지 않았다. 수업 시간에는 학원 숙제를 하거나 주변 친구들과 떠들었고, 졸기도 했다. 항상 나는 어딜 가면 졸고 시작하는 것 같다. 암튼 그렇게 지루했던 수업 시간이 지나면 쉬는 시간 때 다시 팔팔해져서 노래를 부르거나 친구들과 떠들었다. 시간이 지나 급식 먹을 시간이 되면, 그전에는 배가 엄청 고팠는데 이상하게도 급식 시간이 되면 딱히 그런 생각이 안 든다. 우리 학교 급식 맛이 없어서 그런 것 같다. 하교하면 엄마에게 전화해서 오늘 학교에서 있던 일을 전했고, 먹을 달콤한 간식 있냐고 물었다. 학교 밥은 맛없어서 별로 안 먹었기 때문이다. 그럴 때마다 엄마는 집에 있는 모든 것을 설명해 준다. 빵, 건망고, 바나나 등 장을 봐 놓은 간식들 말이다. 하지만 내 맘에 드는 건 없었다. 나는 브라우니, 떡볶이 같은 맛있는 간식을 원한 건데 엄마는 내 맘에 들지 않는 것만 장을 봐온다. 그래서 내가 먹기 싫다고 하면 자기가 먹을 거라면서 말투가 바뀔 때가 있다. 그때마다 나는 미안하지만, 짜증이 나는 감정이 들었다. 그래서 나는 여름엔 아이스크림을 사 오고, 겨울에는 과일 맛 캐러멜을 사 온다.

겨울에 한번 아이스크림을 사간 적이 있었다. 내 친구들은 다들 겨울에 먹는 아이스크림이 맛있다고 하는데, 나는 잘 모르겠다. 겨울에 추운 거 먹는 게 나만 맛없는 건지 모르겠지만 말이다. 그런 생각을 하고 간식을 먹으며 집에 갈 때도 있지만, 가끔은 엄마가 초코파이나 간

단한 스파게티 같은 걸 사 올 때가 있다. 그러면 말할 때의 톤이 달라진다. 내가 다 먹을 거라는 욕심이 생기기도 한다. 집에서 소파에 앉아 간식을 먹으면서 나는 집에서 인터넷으로 영상, 뉴스를 보거나 학원 숙제를 한다. 사실 영상과 뉴스를 볼 때가 많다.

나는 내 또래보다 유튜브와 뉴스를 많이 본다. 그래서 그런지, 내가 좋아하는 분야인 연예에 대해서는 도서관처럼 거의 다 대답할 수 있었다. 내가 연예에 관련해서 많이 알고 있어서인지 엄마는 내가 학교에 갔다가 와서 무조건 인터넷을 보는 줄 안다. 나도 숙제할 때는 하는데 엄마는 그걸 모르는 것 같다. 그리고 화요일과 목요일은 영어학원에 간다. 그래서 그 전에 숙제를 해야 한다. 그날은 30분 정도 놀다가 숙제를 부랴부랴 한다. 그 전날에 조금 해놓고, 영어학원에 가는 당일에는 암기할 것을 한다. 월요일, 금요일에는 수학 학원을 가야 해서 수학 숙제를 한다. 그리고 5시쯤 학원으로 출발한다. 수요일은 특별히 학원이 2개인데다 병원까지 다니고 있어 엄청 바쁘다. 학교 끝나고 병원에 갔다가 바로 역사 학원을 가고 끝나면 밥을 먹고 수학 학원으로 향한다. 지금 생각해 보니까 너무 학원이 수요일에 몰빵 되어 있다. 좀 나눌 걸 그랬나….

그래도 지금은 상관없다. 이제 일정 그런 거 없다. 사실상 밖에도 못 나간다. 예전에는 이런 생활을 꿈꿨지만, 지금은 원래대로 하고 싶다. 원래대로 돌아가서 투정도 안 부리고 딱 그 생활만 하고 싶다. 지금처럼 이렇게 사는 건 말도 안 된다. 하지만 그 말도 안 되는 것을 지금 내가 하고 있다. 나만이 아니라, 내 가족들까지도 말이다.

우리는 일상을 잃어버렸다.

2장

지하 주차장 신세

지금은 집에 있는 것이 아니라, 지하 주차장이다. 사실 앞으로도 그럴 것이다. 상황을 설명하자면, 몇 년 전부터 뉴스에 북한과 핵폭탄 이야기가 있었다. 하지만 나는 대수롭지 않게 넘겼다. 한번 그런 뉴스를 보면, 계속 핵과 북한 남한 이런 얘기만 뜨기 때문이다. 나는 내 알고리즘이 부정적인 내용을 담는 것이 싫기도 했고, 정치와 경제보다는 연예 쪽에 관심이 더 많았기 때문이다.

하지만 나는 그런 뉴스를 봐야만 했다. 시간이 지나면서 점차 핵과 관련한 뉴스들이 많이 나왔다. 북한의 탄도 미사일, 핵무기 투척 예정 현황, 핵이 떨어지면 어디로 가야 하는지, 어떻게 대피해야 하는지 말이다. 나는 처음에 내 알고리즘이 이상하다고 생각하고, 새로고침을 눌렀다. 그런데도 아직 뉴스들은 남아 있었다. 아니, 더 많아졌다. 신고를 누르고 관심 없음을 눌러봐도 망부석처럼 맨 윗줄에 걸려 있었다. 더이상 연예에 관한 것이 없어서 볼 게 없어진 나는 거실로 나와 소파 위에 앉아 있는 아빠 바로 옆으로 가 앉았다. 아빠의 휴대전화기에는 내게 없는 앱들이 있어서 내 휴대전화보다 훨씬 즐겁다.

이날도 매일 같이 아빠가 보는 웹툰을 보고 있었는데, 자꾸 알림으로 아빠의 지인들이 내가 뉴스에서 봤던 내용인 핵이 떨어지면 어떻게 해야 하는지 등을 주고받고 있었다. 나는 아빠에게 이게 무슨 상황이냐고 말해보았지만 원래 아빠와 친구들은 이런 얘기를 한다면서 안심시키는 투로 말했다. 오히려 혼란함을 가중했는데 말이다.

다시 내 방으로 돌아와 휴대전화기로 다시 뉴스를 켰다. 이제는 북한이 남한을 향해 핵미사일을 쏠 확률 등이 나왔다. 나는 이런 주제에 대해 생각해 본 적이 없어서 상상이 잘 가지 않았다. 그래도 대충은 떠올랐다. 저번에, 학교에서 민방위 훈련을 했던 것, 그때 선생님이 알려주신 '핵폭탄에 노출되면 일어나는 일', '핵폭탄의 노출을 줄이는 법' 등등 말이다. 그러자 내 머릿속에는 '만약 내가 있는 동네에 떨어지면 어떡할까' 하는 주제를 시작으로, '식량은 어떡하지, 며칠 동안이나 살까?' 등등 정말로 심각한 사태들이 떠올랐다.

그때는 어떻게 알 수 있었을까, 내가 진짜 그런 문제들을 고민해 봐야 하는 지금 상황을.

내가 그런 핵 관련 생각을 하는 것은 얼마 가지 못하고 내 머리에서 지워졌다. 다른 신인 아이돌이 데뷔했기 때문이다. 6인조 그룹인데 그중 한 명인 조하린이 가장 눈에 띄었다. 노래와 춤을 잘하는 건 기본이고, 예의도 엄청났기 때문이다. 나는 하린을 나의 롤모델로 선정했다. 앞으로 하린을 따라 할 거다. 착용한 모자라던지 옷이라든지 비싼 건 못 사겠지만 말이다. 이때는 기뻤지만 사실 좋아하지 말았어야 했다.

핵 관련 뉴스들의 수위가 점점 심해지고 보도하는 내용들이 다 실생활에 엄청난 영향을 미친다는 내용이었다. 그런데 나는 이 심각한 뉴스들을 몰랐다는 것이었다. 심지어 아빠도 말해주지 않았다. 아니 어쩌면 말했는데 내가 하린의 사진을 본다고 듣지 않았을 것이다.

아님, 아빠도 거짓 뉴스라고 하고 넘겼을 수도 있다. 아무도 원자핵 얘기를 하지 않고, 아무도 뉴스 얘기를 하지 않으니까 점차 내 머릿속에는 뉴스가 지워져 갔고, 하린에 관한 생각들로만 꽉 차 있었다. 그러다 보니 실제 생활에서 핵무기를 접한다는 예상과 생각을 하지 않았다.

그렇다.

이틀 전 북한에서 핵무기를 대한민국에 발사했다.

이 사실을 알게 된 계기가 있다. 지난주 엄마와 동생의 친구 엄마인 아라 이모가 대화하는 것을 들었다. 그때는 학원에 갔다가 간식으로 막대 과자를 사서 집에 거의 다 도착했을 때쯤이었는데, 엄마가 이모와 버스 정류장에서 학원 차를 타는 동생 승원이와 동생의 친구인 지안이를 배웅해 주고, 얘기를 하고 있었다. 엄마에게 가서 내가 매고 있던 가방을 매달라고 부탁하고, 꽉 차서 앉을 수 없었던 정류장 의자 옆에 서서 막대 과자를 먹기 시작했다. 물론 하린과 관련한 영상을 보면서 말이다. 영상 내용은 하린의 활동 일시 중단 안내였다. 하린이 요즘 매스꺼움, 식욕 부진 같은 증상을 보이면서 당분간은 무대에 설 수 없다고 했다. 나는 앞으로의 무대들을 더 보고 싶었고, 하린의 얼굴도 보고 싶었지만, 아프다고 하니 어쩔 수 없었다. 그렇게 영상을 다 보고, 막대 과자도 거의 다 먹어 가고, 다른 흥미를 일으키는 영상을 찾고 있을 때쯤, 엄마와 아라 이모가 얘기하는 내용이 귀에 들려왔다. 아까 영상을 볼 때는 대화 내용이 승원과 지안이가 학원에서 어떻게 하는지를 다루고 있었는데, 어느 순간부터 대화 내용이 핵무기에 관한 내용이었다.

그때 내가 핵과 기사들을 잊고 지냈다는 것을 알게 되었고, 곧바로 엄마와 이모의 대화에 집중했다. 앞부분은 듣지 못해서 모르겠지만, 북한이 우리나라에 핵무기를 발사할 수도 있다고 말했다. 나는 북한이라는 말을 듣고 대화에 더 귀를 기울였다.

"언니, 그거 들었어? 북한이 핵폭탄 터트릴 수도 있대."

"지난 수요일에 애들 학교 보내고 드라마 좀 보려고 티비를 켰는데, 무슨 뉴스들만 엄청 보이는 거 있지? 그래서 내가 엄마들한테 문자 돌렸는데, 아라 너는 내가 못 보냈었나?"

"어어. 얼마나 많이 보냈길래 나를 까먹었대. 그나저나 뉴스 내용이 뭐더라, 다른 나라들이 북한에 지원을 안 해줬다 했나? 그리고 북한이 남한이랑 하기로 한 조약들도 거의 다 체결이 안 됐대. 그래서 그런지 얘네 대통령이 화났다고 하더라."

"헐. 내가 들었던 것보다는 훨씬 심각하네. 이제 우리 어떡하지. 우리나라 사람들 다 죽는 거 아니야?"

나는 이 말을 들은 것을 끝으로, 무서운 마음을 억누르고 뉴스 검색창에 '북한 핵폭탄'이라고 검색하였다. 그러자 많은 기사들이 줄을 이으며 나열되었다. 나는 그 중 하나를 눌러 읽어보았다.

기사의 내용과 이모가 말한 내용이 완전 같았다. 뉴스가 사실인 것을 알게 되었고, 나는 친구들과 친척들이 이 사실을 알고 있는지 물어보려고 단톡방에 들어갔다.

나는 주로 연락이 많이 오는 친척들의 단톡방이나, 반 친구들의 단톡방의 알림을 꺼놓고는 했는데, 이미 친척들과 친구들은 난리가 나 있었다. 이미 다들 죽는 거냐느니 언제 발사하는 것이 거냐느니 물음표만 가득했다. 나는 놀란 마음을 꾹 누르며 이 단톡방을 나가서 친척들의 단톡방에 들어갔다. 이미 가족들은 어디에 숨을 건지 근처 대피소가 어딘지 같은 얘기를 하고 있었다. 역시 어른들이라 상황 판단이 빠르다고 생각했다.

나는 핸드폰을 끄고 엄마에게 가서 왜 나한텐 북한이 핵을 쏜다는 말을 안 알려줬냐고 물었다. 엄마는 들켰다면서 우리 가족들에겐 불안해할까 봐 안 알려주려고 했다. 엄마가 나한테 그런 정보는 어디서 알았냐고 묻자, 나는 친척들과 반 친구들 단톡방, 그리고 아라 이모와 엄마가 대화하는 것을 들었다고 말했다. 엄마는 어쩔 수 없다는 표정으로 이따 저녁에 다시 얘기하자고 했다. 나는 엄마가 그냥 지금 얘기해 주면 될 것을 괜히 그런다고 생각했다. 엄마는 집을 향해 올라가는 엘리베이터에서부터 집 현관까지 말이 없다가 집에 들어서서 나에게 얘기를 해주었다. 며칠 뒤에 북한이 우리에게 공격할 수도 있다고 말이다.

나는 갑자기 공격이 시작되었을 때 빠르게 대피하지 못해 큰일이 나는 상상을 했다. 혹시 모르니까 엄마가 얘기를 마친 후 방으로 들어가서 짐을 꾸리기 시작했다.

노트북과 충전기를 챙기고, 아이패드, 로션과 몇 병의 물, 동생 몰래 쟁여두었던 간식들, 비상금, 옷들, 잠바, 베개, 하린의 포토 카드들, 가족들과 찍은 사진, 그리고 혹시 모르니까 집 현관에 대충 올려두었던 작은 라디오까지 챙겼다. 또 챙길 게 없나 고민하고 있을 때, 동생들이 집에 들어오고, 몇 분 뒤에는 회사에 있던 아빠까지 들어왔다.

"아빠 왜 벌써 왔어?"

"아, 안전 안내 문자가 왔더라. 회사 직원들도 다 퇴근했어."

나는 안전 안내 문자가 왔는데 왜 집에 왔는지 생각하면서 핸드폰을 켰다. 내가 안내 문자 알림이 울리면 보통 날씨 문자나 실종신고 문자들이었다. 내가 도움을 줄 수 있거나, 영향을 줄 수 있는 내용이 아니라서 굳이 핸드폰을 보지 않았다. 그래서 습관이 생긴 것 같다. 하지만 지금은 안전 안내 문자가 가장 중요한 순간이었다. 키자마자 보이는 건 안내 문자 알림이었다. 알림 내용은 지금 학교, 학원, 회사와 같은 자기 집 외에 다른 장소에 있는 사람들은 모두 집으로 들어가라는 말이었다.

나는 이 안내 문자를 보자마자 소름이 돋았고, 바로 북한의 핵이 생각났다. 나는 핸드폰을 들고 티비 앞으로 가서 4번 뉴스 채널을 틀었다. 뉴스에서도 안내 문자 얘기가 한창이었다. 동생은 내가 튼 뉴스를 보고 우리 다 죽는 거 아니냐면서 울기 시작했고, 아빠는 이미 알고 있었는지 그렇게 큰 반응을 하진 않았지만, 뉴스 기자의 말에 집중했다.

"뉴스 누가 틀었어?"

엄마가 물었다.

"내가 틀었어."

"휴, 그냥 봐 어쩔 수 없지"

나는 엄마가 뉴스 보는 것을 허락하는 느낌이 들어서 뉴스를 보는데 엄마가 왜 그러시는지 생각했다. 하지만 뉴스 내용이 동생과 내가 자세히 알지 않아도 되는 문제라 그런 것 같다. 나는 계속 우는 동생이 불쌍해서 뉴스를 꺼주었다. 그러고는 동생을 데리고 방으로 들어가 상황을 설명해 주었다. 엄마 몰래 말이다. 생각해 보면 이걸 몰래 해야 하는 것을 아니지만 왠지 모르게 몰래 얘기해야 할 것 같았다.

“잘 들어, 지금 우리나라 위쪽에 북한이라는 나라가 우리나라에 위험한 무기를 쓸 것 같아.”

나는 최대한 심각한 분위기로 말했다.

“그러면 우리 다 위험해지는 거 아니야? 총 쏘는 거 아니야?”

동생이 떠보는 말투로 말했다. 하지만 그건 결코 떠보는 게 아니라 사실이었다.

“응, 그게….”

말 다 하지도 못한 채 갑자기 엄마, 아빠, 그리고 나의 핸드폰에서 엄청나게 크고 요란한 사이렌이 들리기 시작했다. 듣고 보니 밖에서도 같은 소리의 사이렌이 나오고 있었다.

엄마는 누워있던 침대에서 벌떡 일어나 갑자기 주방으로 향했다.

"어머! 어머! 미쳤나 봐!"

있던 과자와 물, 라면은 다 챙기고 노트북과 핸드폰을 모두 챙겼다.

"엄마 지금…."

내가 말 다 하기도 전에 엄마는 나랑 동생을 잡아서 지하 3층으로 가라고 했다.

"무조건 계단으로 조심조심 가야 해.!"

엄마는 나한테 신신당부했다. 나는 지금 폭탄이 떨어지고 있다는 생각에 다급해졌다. 4계단쯤 내려가다가 갑자기 집에서 꾸린 짐 가방이 생각나서 다시 올라갔다.

"누나 어디가? 같이 가자"

동생이 따라오려고 하자 나는

"아니야 너는 먼저 내려가고 있어!"

라며 소리치고 올라갔다.

나는 집으로 뛰어 올라가 내 방으로 들어갔다. 들어가는 길에 슬쩍 거실을 봤는데 엄마와 아빠가 장바구니로 쓰던 에코백을 챙기고 있었다. 더는 볼 새 없이 뛰쳐나왔지만, 아마도 식량을 챙기는 것 같았다. 나는 가방을 챙기자마자 계단으로 달렸다. 내려가는 중에 동생을 만났다.

"누나 나 혼자 내려가기 무서워서 기다렸어."

"아니 먼저 내려가라고 했잖아!"

나는 걱정되는 마음에 버럭 화를 내버렸다. 동생은 화내는 나를 째려보며 내려갔다. 나는 동생이 째려보는 걸 봤지만 참았다. 평소 같았으면 엄마한테 일렀을 것이다.

나는 긴박하게 계단을 내려와서 지하 3층으로 내려갔다. 그러자 같은 아파트 주민들도 보였다. 다들 지하에서 울고 어떻게 되는 거냐며 절망하고 있었다. 정신없이 안전한 곳을 찾았다. 그러고는 동생과 함께 털썩 주저앉았다.

"이제 어떡해?"

"왜?"

아, 아직 동생한테 자세한 설명을 하지 않았다.

“자 설명해 줄게, 지금 북한이 우리나라를 공격했어. 엄청 위험한 무기로 공격했는데 우리는 아마 한동안 여기서 살아야 할 것 같아.”

“그러면 지금 전쟁 난 거야? 설마 핵폭탄으로?”

“으응, 그렇지.”

생각보다 동생이 많은 걸 알고 있었다. 핵폭탄을 알고 있는지도 몰랐고, 전쟁이라는 걸 알고 있는지도 몰랐다.

잠시 뒤 엄마가 내려왔다. 그리고 안전 안내 문자도 같이 전송되었다.

‘서울시 시민 여러분들은 정부 지원이 가능한 대피소로 이동해 주시길 바랍니다.’

나는 마지막 문장이 가장 눈에 띄었다. 왜냐하면 우리 지하 주차장은 정부 지원이 가능한 대피소가 아니기 때문이다.

3장
주민들과 가족들

보통 정부 지원이 가능한 곳이면 지하철역에 붙어있는 검정 건물에 지붕 모양 아이콘이 붙어있어야 하는데, 우리 아파트의 지하 주차장은 아무리 그 스티커를 찾으러 둘러봐도 없었다. 그리고 1학기 때 민방위 훈련을 학교에서 했을 때도 사거리 대각선 쪽 아파트의 지하 주차장이 공식 대피소라고 했지, 우리 아파트라는 말은 없었다.

그리고 가장 확실한 증거는 바로 엄마의 말이었다.

"우리 아파트 주차장은 대피소가 아니잖아, 이제 정부가 주는 음식이랑 물 그런 것도 못 받아. 우리 이제 어떡해"

엄마는 눈에 눈물을 글썽글썽 올리며 말했다. 엄마를 따라 내려오던 아빠는 우리에게 여기는 사람이 너무 없다면서 사람이 몰려있는 곳으로 가자고 했다. 역시 아빠는 성격 유형 검사에서도 사고형으로 결과가 나오더니 울고 있는 엄마와 나랑은 달랐다.

우리는 많은 짐을 들고 지하 주차장의 큰길로 나왔다. 나와보니 관리사무소 지하 입구 쪽에 사람이 가장 많았다. 우리는 계단 옆쪽에 넓게 자리를 잡고 한숨을 내쉬었다. 운수가 퍽이나 좋았다.

"우리 이제 진짜 죽는 건가?"

"아니야 누나, 우리 살 수 있어. 방사능은 2주가 젤 위험하니까 2주 동안만 숨어있고 빠르게 나와서 다른 지역으로 가면 돼."

"아 진짜, 그래도 여기서 2주를 어떻게 버텨."

생각해 보니 진짜 어떻게 버틸까. 사람들은 다 울고 잊고 살 희망이나 의욕조차 없는 것 같은데 말이다. 나는 자리에서 일어나 지하 주차장을 살펴보았다. 냄새는 곰팡이 냄새가 잔뜩이고, 바닥에는 자동차 바퀴가 어디서 굴렀을지 모를 더러운 먼지 같은 것들이 널브러져 있었다. 나는 그것들을 바라보며 잠시 생각하다가 일어섰다. 그러고는 동생에게 말했다.

"승원아, 우리 지하 주차장에 있는 사람들 모아보자."

"엄마 나 주차장 좀 둘러보고 올게."

나는 이 넓고 넓은 지하 주차장에 있는 사람들을 최대한 모아서 서로 같이 한마음 한뜻으로 같이 살아가고 싶은 마음이었다. 나는 우선 1동부터 2동까지를 둘러보았다. 그러고는 소리쳤다.

"여러분, 지금 관리사무소 쪽 주차장으로 모여주시길 바랍니다. 이때만큼 뭉쳐야 하는 시기는 없습니다!"

나는 이런 일에 적극적으로 나서는 성격인데다가 목소리도 큰 편이라서 사람들의 이목을 끌 수 있었다. 나는 사람들을 데리고 천천히 관리사무소 주변으로 모였다. 그러고는 다시 한번 소리쳤다.

"여러분 지금 절망할 때가 아닙니다. 저와 함께 이 지하 주차장 다른 곳에 있는 사람들을 이곳으로 모이도록 도와주실 분을 찾습니다."

생각보다 사람들이 많이 나오지 않았다. 사실 어린이들만 나왔다. 상황 파악이 안 되는 아주 어린 유치원생들 말이다. 나는 이 어린이들을 데리고 갈 수는 없었다. 몇 번이고 말해봐도 나오는 사람은 한두 명이었다. 그때, 관리사무소 관계자가 지하 사무소에서 나오셨다.

“자, 여러분, 저희 모두 함께 살아갈 수 있도록 도와주세요. 지금 북한에서 핵폭탄을 쏘는 말도 안 되는 일이 벌어졌습니다. 저도 믿기지 않고, 앞길이 막막합니다. 하지만 어쩌겠습니까. 현실적으로 미래를 생각하면서 다 같이 생존해야 하지 않겠습니까? 지금이 그 용기의 첫 발 길입니다. 첫 번째 용기를 내어주세요.”

관리사무소 아저씨가 빨간 눈시울을 붉히면서 말씀하셨다. 아저씨가 말씀하시는 동안 사람들의 우는 소리와 소리치는 소리가 점점 줄어들더니, 몇몇 어른들이 걸어나 왔다.

“감사합니다!”

나는 우리 아파트 주민들에게 감사 인사를 전하였다. 그리고 엄마·아빠를 바라보았는데, 부모님은 나를 자랑스러운 눈빛으로 쳐다보며 눈물을 흘리셨다.

나와 승원이, 그리고 관리사무소 아저씨와 아파트 주민들은 3동에서 5동이 있는 쪽으로 걸어갔다. 우리 아파트가 관리사무소를 중심으로 반씩 나뉘어 있어서 갈 길이 좀 멀었다. 그때 한 아저씨가 나를 바라보며 물었다.

“이름이 뭐니?”

“저 유소원이요.”

“소원이? 소원아, 다들 힘들고 어렵고 우울할 시간이었는데 용기를 내 와줘서 고마워. 그렇게 내려오자마자 상황을 판단하기에도 어려웠을 것 같은데 덕분에 분위기가 더욱 탄탄해진 것 같아.”

“그리고 관리소장님, 감사합니다. 말씀 덕분에 사람들이 우울하지만은 않은 것 같아요. 소장님 말씀대로 저희 열심히 살아봅시다!”

아까 내가 6동 쪽에서 데리고 왔던 주민 아저씨였다.

아저씨는 뭔가 매섭게 생겼으면서도 친근했다. 그리고 아까 멋진 말을 해주셨던 관리사무소 아저씨는 관리소장이셨다. 주민 아저씨와 관리소장님이 대화하시는 걸 들어보니까 나머지 동료 직원들도 다 사무소 안에서 울고 있다고 들었다.

"아니에요, 오히려 제 말씀 따라서 움직여 주신 것만으로도 고마운데요."

나는 보답의 말을 하고 생각에 잠겼다. 아까 보니까 꺼이꺼이 울면서 땅을 치는 사람들도 있었고, 아무 짐도 챙겨오지 않아 진짜 어떻게 살지 고민하는 사람들도 있었다. 그리고 인사는 하지 못했지만, 나랑 친한 친구들, 작년에 같은 반이었다가 이제는 어색해진 친구들도 있었다. 하지만 다들 울고 절망하고 있어서 인사하기가 꺼려져서 하지 못했다.

'진짜 이제는 어떡할까. 우리는 다 죽는 걸까.'

걸어가고 있는데 눈물이 뚝뚝 떨어졌다.

"누나 울어?"

승원이가 물었다.

"아, 아니야."

나는 옷소매로 눈물을 닦아내고 앞을 보았다. 앉아서 울고 있는 사람들이 보였다. 관리소장님은 아까 내가 소리친 대로 사람들을 데리고 와 다시 관리사무소로 출발하셨다. 나는 동생과 함께 남은 사람은 없는지 둘러보고 있는 와중에, 아파트 엘리베이터를 대기하는 공간에 누가 울고 있는 소리를 들었다. 나는 키패드에 공동현관 번호를 누른 후에 안쪽으로 들어가 보았다.

그곳에는 청소 아주머니가 계셨다. 청소 아주머니는 말려두신 걸레를 잡으며 울고 계셨다.

"지금 관리사무소 쪽에 사람들 다 계시는데 그쪽으로 같이 가요. 저희끼리 희망을 공유하면서 있어요."

내가 아주머니께 말했다.

"조금씩 희망을 모으다 보면 태산이 될 거예요. 같이 가요."

동생까지 말을 전하니까 아주머니는 슬슬 자리에서 일어나셔서 나오셨다. 우리는 아주머니를 데리고 관리소장님과 주민분들을 뒤따라갔다.

"내가 여기가 집도 아니고, 집에 자식들 있고 그런데 이게 무슨 재앙이야. 핸드폰도 안 터지는데 어떡해."

아주머니가 눈에 눈물을 글썽이시며 말씀하셨다.

"학생은 가족들 다 나왔어?"

"아, 저희 가족들은 다행히 다 나왔어요. 아주머니 가족들도 다 무사할 거예요."

"고마워 학생."

그렇게 사람들이 모여있던 자리로 거의 다 왔을 때쯤, 한 사람이 소리쳤다.

"안전 안내 문자가 도착했어요!"

사람들은 다 핸드폰을 추켜들었다. 나도 핸드폰을 찾으러 자리로 뛰어갔다. 나는 가방 안에 있는 내 핸드폰을 찾아 잠금화면을 켰다. 문자 내용은 이랬다.

"지금 북한군이 대한민국을 침략 중이며, 방사능 물질이 포함된 무기를 발사함으로 대한민국 시민들은 모두 방사능 물질을 피할 수 있는 지하 공간에 머물러주시길 바랍니다…"

사람들은 모두 문자를 확인하고 나서 핸드폰을 내려놓았다.

"당연한 말을 하고 있어."

"흑흑, 이제야 조금 실감이 나는 것 같아."

"우리 진짜 어떡해, 굶어 죽는 거 아냐?"

사람들 반응은 모두 달랐다. 굶는다는 얘기가 나오자마자 나는 식량 걱정이 들었다. 이 많은 사람이 먹어야 하는데, 각자 챙겨온 식량으로는 일주일도 못 버틸 것 같았다. 나는 머리가 새하얘지면서 식량을 공유해야 하나, 아니면 각자 먹어야 하나 고민이 되었다. 만약 식량을 공유한다면 모두가 먹을 수는 있겠지만 오랫동안 살아남을 수 있을지 모르겠다. 또, 각자 먹는다면 식량을 가져오지 못한 사람들은 다 살지 못할 것이다. 나는 관리소장님에게 가서 말했다.

“저희가 식량을 먹어야 하는데, 지금 있는 식량으로는 모두가 나눠 먹지 못할 것 같아요. 어떡하죠?”

“어린 학생이 도덕적이구나. 공공의 입장에서 바라볼 줄도 알고 말이다. 흠, 식량이라.”

관리소장님이 애써 웃으시며 말했다. 그리고는 관리사무소로 들어가셨다. 아마도 식량을 찾으러 가신 것 같았다. 하지만 곧 사람들을 데리고 나오셨다.

“자, 이분은 관리직원 대표이시고, 이분은 총괄 관리인이셔.”

“안녕하세요, 지금 상황이 급해서 본론만 말씀드리자면 저희가 이 많은 세대분이 먹을 식량이 부족해서요. 혹시 먹을 것 있으세요? 식량을 가지고 오신 분들도 있고 안 가져오신 분들도 있어서요.”

내가 조심스럽게 물었다.

나는 혹시라도 탕비실이나 관리사무소에 비상식량이라도 있는 줄 알고 물어보았다. 관리직원분의 대답은 이러했다.

"아, 그… 소장님 저희가 저희 자리랑 탕비실 쪽에 라면이랑 과자 같은 거 좀 놔뒀는데…"

관리직원분은 소심하고 마치 들키면 안 되는 것처럼 얘기하셨다.

"뭐? 내가 탕비실에 있는 캐러멜, 초코파이, 박하사탕이랑 커피 같은 음료 말고는 아무 음식물도 두지 말라고 했는데?"

"게다가 라면이라니?"

나는 순간 소장님의 살기 있는 눈빛을 보고 움찔거렸다. 그리고는 총괄 관리인님의 말씀이 이어졌다.

“에이, 그것도 다 비상식량에 해당되는 거지 뭐. 어쨌거나 지금 상황에는 아주 좋으니 그만하고 차 준비실에 가봅시다.”

다행히도 총괄 할아버지가 중재해 주신 탓에 소장님과 직원분의 대화는 끊어졌다. 나는 관리사무소 관계자분들과 함께 사무소 안으로 들어가려고 하였다. 하지만 뒤에서 말이 들려왔다.

“아니 다들 어디 가는 겁니까?”

“아, 저희 탕비실에 식량을 좀 가지러 가려고 합니다.”

“아니 그 어린애는 왜 데리고 가는 거예요? 그럴 거면 저도 같이 갑시다”

한 주민이 일어나서서 걸어오셨다. 알고 보니 내가 반대쪽에 있는 주민분들을 데리러 갈 때 맨 처음으로 나오신 아주머니셨다.

"안녕하세요. 또 뵙겠습니다."

"안녕? 어린아이가 참 당차고 밝구나."

"감사합니다."

나는 그저 모두가 살면 나도 살 것이고 가족들도 살 것이라는 생각에 먼저 나서서 행동한 것인데 나를 좋게 봐주시는 어른분들이 많다. 하긴 나라도 초등학교 6학년이 나서서 식량 걱정하고 그러면 놀랄 것 같다.

"소원이 어디 가니?"

뒤에서 엄마의 목소리가 들려왔다. 나는 뒤를 돌아봤다.

"나 식량 가지러 잠깐 들어갔다가 오려고"

"식량? 아 맞다 엄마가 좀 챙겨오긴 했는데 사람이 많으니까 가야겠네. 엄마도 같이 가자"

엄마도 우리가 있는 쪽으로 걸어 나오셨다. 점점 다가오는 엄마의 얼굴을 보니, 눈은 얼마나 울었는지 퉁퉁 부어있었고, 입술과 코도 울어서 그런지 빨개져 있었다.

우리는 사무소 안으로 들어갔다. 사무소 안쪽은 종이와 아파트 문의 건들이 곳곳에 붙어져 있었다. 우리는 관리소장님과 총괄 관리인분의 안내를 따라서 어느 방 안으로 들어갔다. 그곳은 커피기계와 정수기, 차 등등 업무 중간에 먹는 것들이 나열되게 있었다.

우리는 관리직원분의 안내를 따라 더 깊이 들어갔다. 그곳에는 여러 가지 간단 조리 식품들이 올려져 있었고, 전기포트, 주전자, 그리고 생수 몇 박스가 있었다. 하지만 아무리 식량이 많다고 해도 이 정도로는 저기 있는 약 100명 되는 사람들을 다 살릴 수는 없었다.

"우선은 나가서 주민들의 반응을 좀 더 살피는 걸로 하고, 식량은 비상시에만 꺼내서 먹읍시다."

우리는 다시 밖으로 나왔더니 쿵쿵거리는 소리가 연신 들려왔다.

“이게 무슨 소리죠?”

“아마도 밖에서 무기를 다루는 소리 아닐까요?”

이제 정말 실감이 나기 시작했다. 그전에는 전쟁이 발생했다는 말만 계속할 뿐 몸이 인지하지 못했는데, 이제는 진짜 느껴지기 시작했다. 나는 다시 우리 가족이 앉아 있는 곳으로 가서 앉았다.

”아빠, 우리 옆 단지로 가야 하는 거 아니야?“

”거기는 공식 대피소잖아.“

”응, 그렇지. 하지만 나갈 방법이 없잖아.“

그렇다. 우리는 여기에 꼼짝없이 갇히게 되었다.

아마도 정부는 우리가 여기에 있다는 사실조차 모를 것이다. 나는 내가 등받이로 쓰고 있던 가방을 가져와 안에 있는 물건을 살펴보았다. 안에는 여러 가지 물건이 있었지만, 라디오가 눈에 띄었다. 나는 라디오를 꺼내서 버튼을 눌렀다. 주파수를 돌리는지 보니 목소리가 나오는 주파수를 찾았다. 그 채널에서는 방사능을 피하는 방법, 방사능의 해로운 점 등 온통 방사성 물질에 관한 말들이었다.

"아빠 근데 온몸을 막고 나가면 살 수 있을지 알까?"

"하지만 며칠 지나면 암도 걸리고, 몸에 빨간 이상한 거가 나면서 눈에서 피 나오고 그럴걸?"

"윽, 징그러워"

나가는 게 쉬운 것이 아니라는 걸 나도 알고 있지만 그래도 물어는 보고 싶었다. 혹시라도 모른다는 마음으로 물어보았는데, 역시나 미친 짓이었다.

몇 분 뒤, 나는 이제 안내 문자도, 라디오도 계속 같은 얘기만 반복하는 것을 듣고, 할 일이 없어져서 심심해졌다. 나는 내가 좋아하던 아이돌, 하린을 떠올려 보았다.

'아마 하린도 나처럼 지하에 숨어있겠지'

'혹시라도 못 내려가서 아까 아빠가 말했던 그것처럼 되어 있으면 어쩌지?'

나는 계속 하린 걱정을 하며 시간을 보냈다. 그리고 내 핸드폰을 켜서 갤러리에 들어갔다. 갤러리에는 내가 학교 끝나고 친구들이랑 찍은 사진들, 할머니 할아버지와 간 가족여행 사진, 등 여러 가지 사진이 있었다. 나는 거기에 있는 모든 사람이 다 보고 싶었다. 평소에 진짜 얄미운 옆 반 친구 기후도 진짜 보고 싶었고, 무엇보다 할머니 할아버지가 제일 보고 싶었다.

나는 시간을 보지도 않고 계속 사진들을 보며 추억을 떠올리다가, 핸드폰 배터리가 20% 남았다는 알림을 받고 나서 핸드폰을 탁 덮었다.

'어떡하지?'

휴대전화기 배터리가 너무 작게 남았다. 이러다가는 진짜 중요한 안내 문자나 긴급문자도 못 받을 수도 있다. 나는 핸드폰을 절전모드로 설정하고, 밝기를 낮추었다. 조금이라도 핸드폰 배터리를 절약하고 싶은 마음이었다. 그리고는 엄마, 아빠, 동생에게까지 말했다.

"핸드폰 절전 모드랑 밝기 낮춰놔. 그래야지 핸드폰 오래가."

나는 다시 가족들이 모여있는 자리로 앉았다. 그러고는 살며시 엄마 옆으로 가서 엄마 무릎에 내 머리를 기대며 누웠다. 나는 엄마를 바라보며 생각했다.

'우리가 밀집되고 정부도 모르는 이 공간에서 죽지 않고 잘 살 수 있을까? 심지어는 식량도 부족한데.'

나는 이런 생각을 하며 나도 모르게 내려오는 무거운 눈꺼풀을 내리고 잠을 잤다. 일어나보니 사람들이 다 누워서 자고 있었다. 나는 다시 잠을 자려고 했지만 아무리 눈을 감고 있어도 잠이 오지 않았다. 그래서 돌아앉아 내가 꾸려온 가방을 뒤졌다. 가방 안에는 내가 챙겨온 물건들이 많았는데, 그 물건들을 하나하나 보다가 하린의 포토 카드들을 발견했다. 나는 밝게 웃고 있는 카드 속 하린을 보며 아직도 하린이 밝게 웃고 있는지 궁금했다. 하린은 어디에서 몸을 숨기고 있는지 궁금했다. 하지만 알아볼 방법이 없었다. 하린의 포토 카드들을 꼭 간직해야겠다고 다짐하고, 가방에 넣었다.

또 다른 물건이 보였다. 우리 가족들의 가족사진이었다. 핸드폰을 든 사람은 아빠였다. 아빠는 목을 길게 쭉 빼고 활짝 웃고 있고, 엄마는 나와 내 동생을 안으면서 흐뭇한 표정을 하고 있었다. 나와 승원이는 엄마에게 안겨서 얼굴이 눌린 채로 즐거워하고 있었다. 하지만 지금의 모습은 아빠와 승원이가 같이 누워서 패딩을 덮고 자고 있고, 엄마는 주차장 기둥에 기대서자고 있었다.

나는 순간 절망적이었다. 나와 내 가족들은 매일매일 화목하고 재미있었는데 왜 지금은 다들 절망을 품은 건지 모르겠다. 왜 우리가 이러고 있어야 하는지도 모르겠다. 나는 핸드폰을 들어 시간을 확인했다. 새벽 5시였다.

나는 한숨을 푹 쉬고 다시 엄마 무릎에 기대 누웠다. 도통 살 수 있는 희망이 보이지 않자, 나는 눈물이 나왔다. 이때까지 꾹꾹 참고 최대한 보여주지 않으려고 했던, 보여주면 안 됐던 눈물이 나왔다.

4장

수상한 사무소

그렇게 다시 눈을 감고, 일어나보니 몇 사람들과 아빠가 일어나있었다. 아빠는 연락처에 있는 사람들에게 전화를 해보고 있었다. 하지만 다 받지 않는지 금방 귀에서 핸드폰을 뗐다.

아빠는 그대로 한숨을 쉬시며 핸드폰을 내려놓으시고, 나에게 오셨다.

"우리 할 것도 없는데 관리사무소 구경이나 할까?"

나는 아빠랑 같이 관리사무소 안으로 들어갔다. 관리사무소 안에는 화장실 사무소, 음료 준비실, 등등 있었다. 아빠는 화장실에 들어가 물이 나오는지 보았다. 하지만 화장실에는 물이 나오지 않았고, 아빠는 어두운 표정으로 나왔다.

“근데 그럼 볼일은 어디서 봐?”

“그러게, 말이다.”

그러고는 사무소 일보는 곳에 들어갔다. 거기는 컴퓨터와 같은 전자기기가 많이 있었다. 나는 심심풀이라도 할 겸 컴퓨터를 하나하나 다 켜보았다. 하지만 켜지는 것은 딱 1대였다. 바로 탕비실 옆 구석 자리였다. 나는 인터넷을 켜보았지만 계속 접속이 되지 않았고, 인터넷이 없어도 되는 파일을 클릭해 컴퓨터에 어떤 파일이 있는지 보았다. 컴퓨터 안에는 문서 몇 가지와 ‘2023’이라는 폴더가 있었다. 나는 나머지가 다 아파트 관리 목적인 것을 확인하고 ‘2023’ 폴더로 들어갔다.

그 폴더에는 월별로 또 다른 폴더들이 이었다. 나는 이번 달인 9월달 폴더로 들어갔다. 그 폴더에는 여러 가지 사진과 글이 있었는데, 사진 중에는 이 컴퓨터 주인의 가족사진도 있었다. 나는 그 많은 사진과 문서를 내려 가며 밑으로 가보았다.

맨 마지막에는 '북한의 무력적 공격'이라는 문서가 있었다. 나는 그 문서를 들어가 보았다. 그 폴더에는 숫자가 아주 많이 쓰여있었다. 많은 숫자를 내리고 내리다 보니 글이 보였다.

‘20230928 북한의 폭력 시작 발견시 보고,., 2주 후 지상 탈출 112119 신고 접수,.., 정부 구출은 3일 후,. 지방으로 탈출 성공??.,//11!!!?/.<’

나는 마지막 문구에 쓰여 있는 말을 읽어보았다. 뭔가 의미심장한 일인 것 같고, 나와 주민들이 겪고 있는 일의 미래를 나타내는 것 같았다.

나는 다른 컴퓨터 자리의 서랍장을 보고 있던 아빠를 불렀다.

“아빠! 이거 컴퓨터 켜지는데?”

“진짜? 어디 보자.”

“여기 폴더 중에 이런 거 있는데 앞에는 다 숫자였다가 문구가 있어.”

“아마도 앞에 숫자는 컴퓨터 코드일 거야. 같은 숫자가 반복되잖아.”

"그럼 이 문구는? 뭔가 우리 미래를 나타내는 것 같은데…"

"그러네, 진짜 어제 북한이 공격을 시작했고, 그게 28일이야. 2주 후 지상 탈출은… 아! 뉴스에서 방사능 공격 후 2주 후에는 지상으로 나가도 그나마 안전하다고 했어. 112와 119는 경찰서와 소방서 번호이고, 정부 구출은 3일 후에 이루어진다고 쓰여있네. 지방으로 탈출 성공…인데 왜 물음표가 있지?"

"그러게…"

"근데 이 문서가 만들어진 날짜가 23일인데 28일에 공격이 일어난다는 사실을 어떻게 알았지? 그건 정부도 몰라서 시민들 대피를 못 시켰잖아."

"그러게, 말이다."

"그리고 2주 후에 지상으로 간다는 건 뉴스에도 나와서 알겠는데 3일 후에 구출은 어떻게 아는 거지?"

이상한 일이 한둘이 아니었다. 마치 이 작성자가 예언자인 마냥 말했다. 그리고 완벽한 문장이 아니라서 뭔가 더 이상했다.

그때 밖에서 소리가 들렸다. 나는 컴퓨터도 못 끈 채 놀라서 뛰어나갔다. 아빠도 나를 뒤 따라왔다. 밖에는 관리사무소 아저씨들이 들어오고 있었다.

"어디 다녀오시는 길이세요?"

나는 소장님의 질문에 놀라 대답을 망설이다가 사실대로 말했다.

"아 그게요, 사실 저랑 저희 아빠랑 사무소에 들어갔다가 탕비실 옆 켜진 컴퓨터를 발견하고 파일에서 문서를 찾았는데, 그 내용의 좀 이상했어요. 그러다가 나왔습니다."

"뭐라고요? 탕비실 옆 컴퓨터요?"

"네"

"그 컴퓨터는 아무도 쓰지 않는 컴퓨터입니다. 그게 켜져 있다니. 그것도 파일이 있다니요. 잘못 보신 거 아니에요?"

"아 그게요…."

나는 직접 가서 확인하자는 듯 고개를 돌렸고 같이 그 컴퓨터로 갔다.

나는 사람들에게 아까 그 문구를 보여주었다.

"아니 이게 뭔…."

관리직원분은 모르는 내용이라는 듯이 말을 망설였다. 하지만 관리소장님은 달랐다.

“아…. 그 다들 이제 나가시죠? 다른 사람들도 여기로 몰려오면 곤란합니다.”

우리는 다급한 관리소장님의 손짓을 따라 밖으로 나갔다. 밖으로 나가니 엄마와 동생이 일어나있었다. 나는 엄마에게 있었던 일을 알려주었다. 엄마는 얘기를 듣고 말했다.

“분명 그 아저씨들이 숨기는 게 있을 거야. 나중에 밤쯤에 다시 가서 확인해 보자. 우리를 실험하는 걸지도 몰라.”

엄마는 마지막 문장을 장난스럽게 말하면서 일어나 물을 마셨다. 그나저나 문제가 한둘이 아니다. 식량과 화장실, 그리고 청결. 아무리 2주 뒤에 탈출할 수 있다고 해도 그때까지 살아서 나갈 수 있을지 모르겠다.

나는 아빠에게 물을 전달하고, 가져온 식량을 살폈다. 이제 슬슬 아침을 먹을 시간이라 배고팠다. 엄마에게 허락받은 후, 생라면 한 봉지를 뜯었다. 생라면에 짭짤한

가루를 뿌려서 아작아작 씹어 먹고, 주변을 살폈다. 어르신들은 아직 주무시고 계셨고, 어린애들은 집에 가자고 난리였다. 어른들은 아직 눈물을 흘리시는 분들도 있었다. 나는 가방에 가져온 물건들을 보면서 꼭 살아남아 돌아가겠다고 다짐했다. 특히 하린의 포토 카드를 보면서 다짐했다.

5장

하린의 노력

나와 엄마는 밤이 되자 사람들 몰래 관리사무소 안으로 들어갔다. 우리는 탕비실 옆자리로 이동해서 사람들의 눈치를 쓱 본 후, 컴퓨터를 켰다. 저번에 관리소장님이 이 컴퓨터에다가 어떤 일을 했는지 알아보기 위해 킨 것이다. 하지만 그 파일은 보이지 않았다.

"그때 관리소장님이 삭제한 거 아니야?"

엄마가 추측하자 나는 휴지통에 들어가 보았다. 역시나 휴지통에 파일들이 있었다. 나는 그 파일을 복구하고 들어가 보았다. 맨 밑으로 내리자, 단어들이 나타났다.

"어? 단어가 추가됐어!"

'20230928 북한의 폭력 시작 발견시 보고,., 2주 후 지상 탈출 112119 신고 접수,., 정부 구출은 3일 후,. 지방으로 탈출 성공??.,//11!!!?/.< 관리자 목,.,격 나는 하린KJD.,.,'

"관리자 목격? 우리가 목격한 관리자라는 건가?"

"그러니까, 말로만 들었을 때는 몰랐는데, 진짜 우리를 감시하고 있는 것 같아-."

"하린? 하린은 내가 좋아하는 아이돌 이름인데?"

"아이돌? 에이, 동명이인이겠지."

근데 이상했다.

‘관리자가 목격했다는 사실을 어떻게 알았지?’

그 순간 갑자기 또 다른 말이 이어졌다. 이어진다기보다는, 기호들과 같이 나타났다.

‘나는.,, 해킹01000중 china server,., 내 지시를 따라 주십시오321’

.

.

.

‘now 나는 해킹 중 없다 데이터 컴퓨터에게로.,;][/]/[downloading] 이 컴퓨터를 이용., 링크 삽입과 클릭’

“이게 뭐야?”

화면에 나타나는 징글징글한 글귀와 부호들 때문에 나도 모르게 크게 소리쳤다. 그 덕분에 주민들의 목소리가 들려왔다.

"무슨 소리야? 저기 사람 있나 봐"

나와 엄마는 몰래 들어왔기 때문에 놀라서 어찌할 줄 몰랐다.

“일단 사진 찍어, 빨리!”

엄마는 나에게 사진을 찍으라고 했고, 나는 빨리 핸드폰을 켜 이상한 문자들이 적힌 문서 사진을 찍었다. 사진을 찍고, 사람들이 들어오자, 빠르게 전원 버튼을 누르고 화장실 쪽으로 갔다.

“여기는 왜 들어오셨어요?”

우리와 마주친 주민들이 물었다.

“아 잠깐 화장실에 물이 나오나 확인하러 왔습니다.”

엄마가 말했다.

“아, 그렇군요. 알겠습니다.”

주민들은 못마땅한 표정으로 우리와 같이 나왔다. 나와 엄마는 아빠와 동생이 앉아 있는 자리로 돌아와 앉았다.

아빠와 동생에게 상황을 설명해 준 후, 사진을 같이 보았다.

“뭐야? 글이 늘었네?”

“응, 이 단어들이 조합하면 무슨 문장이 나오는데, 한꺼번에 알아보기는 어려워서 사진 찍었어.”

나는 사진을 자세히 들여다보았다.

‘나는 해킹 중이고 중국 서버로 들어왔습니다. 내 지시를 따라주세요. 나는 해킹 중이고, 데이터가 없는 컴퓨터로 들어왔습니다. 이 컴퓨터를 이용하여 링크를 클릭하세요.’

드디어 문장을 완료했고, 읽어보았다.

"와, 대박. 그러면 이거 컴퓨터로 가서 링크 누르면 되는 거야?"

"근데 사기 같은 거면 어떡해?"

"에이, 어차피 안 쓰는 컴퓨터라 데이터가 없잖아. 가져갈 정보가 없는데 뭐 하러 사기를 쳐."

"와 신기해. 어떻게 멀리 있는 컴퓨터를 해킹하지? 그러고 보니까 이거 해킹한 사람이 하린이잖아. 근데 하린이 네가 좋아하는 아이돌이라면서. 그리고 또 우리를 계속 감시하듯이 모든 걸 알고 있잖아."

"그럼 또 나중에 가서 그 링크 눌러보자. 그때 가면 또 글이 있을 수도 있어."

"그래"

생각해 보면 있을 수 없는 일이었다. 그것도 해킹해서 하는 말이 다 우리를 감시하고 있고, 링크도 보내고 이름도 하린이다. 설마, 아니겠지만, 진짜 그 아이돌 하린을 말하는 걸까?

다음 날 아침, 나와 가족들 모두가 탕비실 옆자리로 갔다. 파일들에 들어가 문서를 키고, 맨 밑으로 내렸다. 이번에는 들어가자마자 링크를 클릭할 시간도 없이 글이 나타났다.

'나는 당신을,,.,. 지켜주는//////!1 맞습니다';.[]P'./ 말했던 ㅅ람1423978 아이돌입니다 나는'

"뭐야? 진짜 우리를 감시하는 거 아니야? 어떻게 말도 인지를 할 수 있지?"

"그리고, 자기가 그 아이돌 하린 맞대!"

세상에. 어떻게 아이돌이 해킹해서, 그것도 나에게!

"일단 그 링크에 들어가 보자."

그러고는 아빠가 마우스를 움켜쥐고 링크를 클릭했다. 링크에는 한 전화번호가 있었다. 그리고 그 밑에 또 실시간으로 글자가 생겨났다.

'그 주소입니다[;] 비상 정부=[];.,,. 휴대전화 전화 0110'

"이 전화번호로 전화하라는 건가? 근데 그러다가 진짜 보이스피싱 그런 거면 어떡하지?"

"음.."

엄마와 내가 걱정하는 동안, 아빠가 말했다.

"이거 봐"

'나는 사기65928 아닙니다[];' 전화 번호 [click]'

나는 그 말을 믿고 전화번호로 전화하였다. 사실 전화 금융사기일 것 같았지만, 지금의 상황에서는 탈출을 위한 모든 방법을 써야 할 테니까 전화를 걸었다.

'안녕하세요. 이 전화번호는 대한민국 기밀 비상 접수 번호입니다.'

인공지능으로 안내 목소리가 나왔다. 나와 가족들은 모두 숨죽이고 기다렸다. 엄마는 눈시울이 붉어지면서 '어떡해'만 반복했다.

과연 진짜일까, 정부인 척 개인정보 사기를 치려고 하는 것일까.

"안녕하세요. 지금 위치가 어디인가요?"

헐. 진짜였다.

“아, 네. 지금 저희는 서울 강동구 상일동 화창 아파트 지하 3층입니다. 주민들 모두가 모여있습니다.”

아빠가 전화기를 가로채면서 말했다. 나는 우리가 구조될 수 있고 모두 살 수 있다는 생각에 눈물이 나왔다. 지금까지 짧은 시간 동안이었지만 여기서 생을 마감해야 하는 줄 알았다. 컴퓨터를 발견하고 나서부터는 희망이 보이기 시작하더니 마침내!

“네 알겠습니다.”

몇 초 뒤 아빠가 전화를 끊고 말했다.

“우리 살 수 있대!”

그 말 뒤로 나와 엄마는 다리에 힘이 풀려서 주저앉았다. 아빠는 잠시 망설이더니 어디론가로 뛰어갔다. 그곳은 바로 관리 아저씨들과 주민들이 모여있는 곳이었다.

아빠는 있는 힘껏 소리쳤다.

"여러분, 우리 살 수 있대요!"

작가의 말

저는 이 책을 쓴 6학년 학생입니다.

제가 처음에 이 책을 쓰기 시작했을 때는 너무 기대되고 잘할 수 있을 거라 믿었습니다. 하지만 시간이 지나면 지날수록 하기가 싫어지고 어떻게 이야기를 이어가야 할지 몰랐습니다. 그래서 꾸역꾸역 계획한 이야기가 아니라 손이 가는 대로 이야기를 썼습니다. 그래서 분량도 적게 나왔습니다. 하지만 책을 쓰려고 노트북을 잡았을 때는 누구보다 열심히 써 내려갔습니다. 사실 가면 갈수록 귀찮고 하기 싫었지만 이런 마음가짐이라면 아무것도 할 수 있는 것이 없기에 참고 계속 썼습니다. 이렇게 말할 정도의 분량과 재미와 흐름은 되지 않지만, 작가의 말을 적어봅니다.

-유소은

하린의 소원

발 행 | 2023년 12월 01일
저 자 | 유소은
펴낸이 | 한건희
펴낸곳 | 주식회사 부크크
출판사등록 | 2014.07.15.(제2014-16호)
주 소 | 서울특별시 금천구 가산디지털1로 119 SK트윈타워 A동 305호
전 화 | 1670-8316
이메일 | info@bookk.co.kr

ISBN | 979-11-410-5661-2

www.bookk.co.kr
ⓒ 유소은 2023

본 책은 저작자의 지적 재산으로서 무단 전재와 복제를 금합니다.